大自然幻想微童话集

S0-BKI-934
注音美绘版

会唱歌的小雨点

冰 波 等/著

河北出版传媒集团 河北少年儿童出版社

图书在版编目(CIP)数据

会唱歌的小雨点 / 冰波等著. – 石家庄：河北少年儿童出版社, 2013.7（2021.2 重印）

（微童话：注音美绘版. 大自然幻想微童话集）

ISBN 978-7-5376-6367-0

Ⅰ.①会… Ⅱ.①冰… Ⅲ.①汉语拼音 – 儿童读物 Ⅳ.①H125.4

中国版本图书馆 CIP 数据核字(2013)第 155350 号

本书所选部分作品由于作者地址不详，经多方联系尚无结果，在此深表歉意，请作者见书后与我们联系，以便奉寄稿酬和样书。

微童话注音美绘版·大自然幻想微童话集

会唱歌的小雨点

HUI CHANGGE DE XIAO YUDIAN

冰波 等/著

策　　划：	段建军　赵玲玲
责任编辑：	刘　欣
特约编辑：	张悦薇
封面设计：	刘　旖
版式设计：	黄　丽
插　　图：	太阳娃工作室
出　　版：	河北出版传媒集团　河北少年儿童出版社
	（石家庄市桥西区普惠路6号　邮政编码：050020）
发　　行：	全国新华书店
印　　刷：	鸿博睿特（天津）印刷科技有限公司

开　　本：	787×1092mm　1/16
印　　张：	1.5
字　　数：	5千字
版　　次：	2013年7月第1版
印　　次：	2021年2月第18次印刷
书　　号：	ISBN 978-7-5376-6367-0
定　　价：	10.00元

冰波：什么是微童话？

微童话是网络时代诞生的童话新形式，优秀的微童话应该是小身材、大脑袋，更凸显短小的篇幅、精妙的构思，能快速、简明、形象地传递作者对生活的理解、情感的领悟，并留给读者思考、回味和想象的空间。

微童话应该是语言规范、有文学美感和儿童趣味的，适于亲子朗读和讲述。

微童话也可以是形象生动的，适于孩子边听边想象画面，并快速记住故事。

微童话还可以有夸张的、发散的想象，给孩子提供多角度的思维模式。

王一梅：微童话怎么写？

内容：不要拘泥于描写小空间，也不能写成生活原状的翻版。要尝试打破时间和空间，写大空间，并让思维在生活和幻想的多维空间里自由转换。

角色塑造：想一想，你要写的是谁？他从哪里蹦出来？长什么样？怎样走路？怎样说话？然后把这个角色的特点融合在故事里，而并非直接简单地交代描述。

故事性：要有一个故事眼，形成简单而牢靠的结构。

想象：避免写得太符合生活现状，而要根据生活经验进行大胆想象——智慧地进行扩散、延续、逆向、循环等方式的想象。

主题：主题应表达作者对生活的思考和对生命的认识，因此，主题是藏在故事里的自我。没有主题的文章是没有灵魂的。

盛子潮：微童话创作和出版的意义

微童话首先是童话。它具有童话的基本要素——幻想性、拟人化、夸张式修辞、教育性寓意等等，但它又有自己鲜明的个性印记，尤其是形式上的特殊性。不必讳言，微童话的这种共性和个性给写作者带来了很大的写作难度，但是，任何一种没有难度的写作，注定是没有艺术生命力的，微童话正在挑战这种难度。题材的广泛，形态的多样，创作构思的奇思妙想，作者个性的摇曳多姿，充分显示了微童话辽阔的艺术疆域和蓬勃生机。在微童话的创作史上，这套丛书将日益凸显出它的标志性意义。

祝福微童话，感谢所有为微童话鼓与呼的朋友们。

云做的蛋糕

文/高咏志

太阳好像跑到森林里来啦！活泼的树叶、多彩的花，都烤得打蔫儿了。孩子们躲在树荫里，热得连东西也吃不下。长颈鹿妈妈好着急！一抬头，她看见一大朵云彩飘过来，咬一口凉丝丝的。她乐了：用它给孩子们做蛋糕

呀！长颈鹿妈妈开起点心铺，用凉丝丝的云朵，给孩子们做起蛋糕来了。

雪花树

文/高咏志

雪花树,根扎在乌云里,树冠朝下。它开花,不像桃树,想好一朵开一朵,它肚子里的花太多了,像喷泉一样,咕嘟、咕嘟,往外冒。雪花一开,整个天空成了无边的雪花园。盘旋的鹰,化装成飞舞的蝴蝶;不怕冷的山雀,扮成了小蜜蜂。它们在雪花园里采蜜呢。小雪花落了,结出了白地毯、雪人……

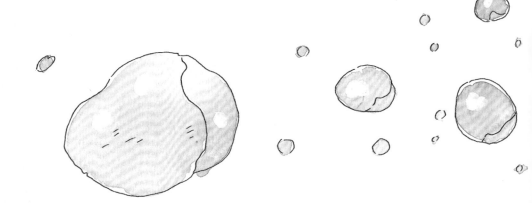

雪地里的小兔子

文/盛子潮

下雪了，小兔子偷偷溜出去玩，可开心

啦！在雪白的世界里，兔妈妈找不到他了。

小兔子在雪地里蹦呀，跳呀，拉屎撒尿，还

堆了一只雪白兔……玩得实在太累了，就在

雪地上睡了。三天后，兔妈妈在一片草地上

找到了小兔子，伤心地哭了。

小兔子和圣诞老人
xiǎo tù zi hé shèng dàn lǎo rén

文/盛子潮

圣诞节到了，小兔子的心"扑通扑通"
shèng dàn jié dào le xiǎo tù zi de xīn pū tōng pū tōng

地跳，他知道圣诞老人要坐着雪橇来接他去
de tiào tā zhī dào shèng dàn lǎo rén yào zuò zhe xuě qiāo lái jiē tā qù

玩了。晚上，小兔子早早躺在兔窝里等着，睁大眼睛盼着圣诞老人，可等了一夜圣诞老人都没来。第二天清晨起来，小兔子伤心地哭了。兔妈妈听了小兔子的哭诉，笑了："傻小子，你不做梦，圣诞老人的雪橇怎么滑得进来呢？"

安静的雪人

文/冰波

他是一个新鲜的雪人，因为，他刚刚从雪地里长出来。他静静地看着这个世界。雪人的时间不多，等到春天到来的时候，他就没了，变成了一摊水。雪人是永远看不到春天的。不过，他现在好漂亮啊，他身上的那些花，好像在告诉我们：雪人也想看到春天的花。他是一个安静的雪人，爱幻想的雪人。

雨点

文/雪野

雨点们，从高高的云朵跳台上表演跳水，扎进花蕊，扎进树丛，扎进土坡，不见啦。嘿，山脚下又看见他们，排着队伍，唱着歌儿练长跑。几滴雨点聚在窗玻璃上，画出一条蚯蚓，探头探脑游下来……还有这一群雨点呢，喊着："亲亲你，亲亲你！"呀，满头满脸都是他们的口水！

大耳朵的小兔子

文/王文瀚

森林里下了场大雪，小兔子嫌他的耳朵太长，怕被冻着，不肯出去玩。小老鼠要他一起去玩滑梯。"小兔子，我们一起去玩吧？""咦，你可以在我的耳朵上面玩啊！"小兔子把耳朵耷拉成滑梯的样子，小老鼠玩得美滋滋的。不一会儿，小老鼠累了，躺在兔子毛茸茸的耳朵上睡着了，还有呼噜声呢。

雨的音符
yǔ de yīn fú

文/甘国宁

树爷爷出了个题目：雨的音符。下雨了，小青蛙躲在荷叶下，收集到了"吧嗒、吧嗒"；小壁虎趴在屋檐下，收集到了"滴答、滴答"；小麻雀窝在竹林里，收集到了"沙啦、沙啦"。

yǔ tíng le　　dà jiā gǎn kuài bǎ yǔ de yīn fú sòng dào shù yé ye
雨停了,大家赶快把雨的音符送到树爷爷

nàr　　　shù yé ye wèi dà jiā biān le　yì shǒu hǎo tīng de jiāo xiǎng qǔ　　rú
那儿,树爷爷为大家编了一首好听的交响曲。如

guǒ nǐ qù sēn lín　li tīng ting　shuō bu dìng néng tīng dào ne
果你去森林里听听,说不定能听到呢!

黑猫乌云
hēi māo wū yún

文/王一梅

有一朵乌云，样子像黑

猫，啊呜啊呜叫着，霸道地

把白云装进大口袋。他来

到田野，把白云送给稻草人

当棉衣。来到工厂，把白

云送给工人当沙发。来到

街边，送给孩子一人一朵棉

花糖。小偷抓住了乌云黑

猫，偷走他的白云，乌云黑猫

变成大大的雨点，淋得小偷

逃跑了。霸道的乌云黑猫不

见了，大家好想他。

xiǎo yǔ diǎn　xiǎo xuě huā
小雨点,小雪花

文/张子奇

yì tiān　xiǎo yǔ diǎn men duì yún mā ma shuō　　mā ma
一天,小雨点们对云妈妈说:"妈妈,

wǒ men xiǎng xià qù wán　yún mā ma shuō　　xiàn zài shì dōng
我们想下去玩。"云妈妈说:"现在是冬

tiān tài lěng le　yí gè xiǎo yǔ diǎn tīng hòu　zhǎ yǎn xiǎng chū
天,太冷了。"一个小雨点听后,眨眼想出

yí gè bàn fǎ　shuō　　nín gěi wǒ men chuān shàng mián yī jiù
一个办法,说:"您给我们穿上棉衣就

bú huì lěng le yún mā ma jué de
不会冷了。"云妈妈觉得

zhè shì yí gè hǎo bàn fǎ jiù gěi tā
这是一个好办法，就给他

men shēn shang guǒ le hòu hòu de mián
们身上裹了厚厚的棉

huā jiù zhè yàng xiǎo yǔ diǎn men biàn
花。就这样，小雨点们变

chéng xuě huā fēi le xià lái
成雪花飞了下来。

知识百宝箱

撒花！鼓掌！

亲爱的小朋友，感谢你读完了这十篇充满奇思妙想的微童话。现在，请跟随爸爸妈妈一起开启"知识百宝箱"吧！

好玩儿的互动游戏、有趣的知识，一定会让你有更多的收获！

想一想，找一找

小兔子从书中跑出来了！快去找一找，他是从哪个故事里跑出来的呢？

小实验：水的音符

雨水打在树叶身上，能发出美妙的声音。请说一说，你还在哪儿听到过动听的水声？

小朋友，快来做个有趣的小实验吧。想一想，这是为什么。

材料
- 三个相同的玻璃杯子
- 一根筷子

1. 往三个玻璃杯子里面装水，一个装很少，一个装一半，一个快装满。

2. 用筷子轻轻敲打杯子，仔细听一听三个杯子发出的声音。

知识小贴士

同样的杯子，同样的水，为什么会发出不同的声音呢？

声音是靠振动传播的。玻璃杯中的水量不一样，留给杯子的振动空间就不一样，听到的声音自然就不一样了。

写给爸爸妈妈的话：

这是一个有趣的科学小实验，操作简单，适合孩子自己动手。如果孩子不能理解，就鼓励孩子自己猜猜答案，即使说得不科学，也不应立刻否定，应当启发孩子多多思考。